In unseren Veröffentlichungen bemühen wir uns, die Inhalte so zu formulieren, dass sie allen Menschen gerecht werden, dass sich alle Geschlechter angesprochen fühlen, wo alle gemeint sind, oder dass ein Geschlecht spezifisch genannt wird. Nicht immer gelingt dies auf eine Weise, dass der Text gut lesbar und leicht verständlich bleibt. In diesen Fällen geben wir der Lesbarkeit und Verständlichkeit des Textes den Vorrang. Dies ist ausdrücklich keine Benachteiligung einzelner Geschlechter.

Dieser Titel ist entstanden in Zusammenarbeit mit dem Bibellesebund Schweiz, www.bibellesebund.ch, und der Deutschen Bibelgesellschaft, www.die-bibel.de.

BLB BIBELLESEBUND SCHWEIZ

DEUTSCHE BIBEL GESELLSCHAFT

Impressum

ejw Evangelisches Jugendwerk in Württemberg

Praxisverlag buch+musik bm gGmbh, Stuttgart; www.praxisverlag-bm.de
ISBN Buch 978-3-86687-364-3
ISBN E-Book 978-3-86687-365-0

Deutsche Bibelgesellschaft, Stuttgart; www.die-bibel.de
ISBN Buch 978-3-438-03991-0
ISBN E-Book 978-3-438-07272-6

Lektorat: buch+musik – Marlen Bleiholder, Stuttgart
Umschlaggestaltung, Satz Downloads: buch+musik – Toby Wolf, Stuttgart
Satz: buch+musik, Stuttgart – unter Verwendung von parsX
der pagina GmbH, Tübingen
Bildrechte Umschlag, Inhalt, Downloads: iStock: Vitalii Dumma;
unsplash: Marjan Blan
Bildrechte Fotos: Sara Schmidt, Steffisburg
Bildrechte Illustrationen: Bianca Stegmaier, Ditzingen
Bildrechte Fotos von Autorin und Illustratorin: bei Autorin/Illustratorin
Druck und Gesamtherstellung: KRÜGER Druck+Verlag GmbH & Co. KG, Merzig

Sara Schmidt

MACH MIT METHODEN

25x MIT KINDERN DIE BIBEL ERFORSCHEN

Inhaltsverzeichnis

Einleitung 5

Info-Point 12
Eigenrecherche 14
Steckbrief 16
Adlerauge 18
Durch die Lupe 20
Textbesichtigung 22
Dunkelfolien 24
Verkehrte Welt 26
Gucklöcher 28
Roter Faden 30
Köpfchen 32
Geheimnachricht 34
Intelligenter Stift 36
Lernschachtel 38
Bibelforscher 40
Interview 42
Hausdurchsuchung 44
Verfolgung 46
Tatort 48
Heißer Stuhl 50
Themen-Puzzle 52
Schreibstube 54
Bibel-Lern-Duett 56
Stationenlauf 58
Marktplatz 60

Autorin und Illustratorin 62

Einleitung

Mit Kindern die Bibel erforschen

Kinder sind wissbegierig und haben viele Fragen. Ihre Fragen machen auch vor Gott und der Bibel nicht halt. Selbst etwas herausfinden zu wollen und die Welt und ihre Möglichkeiten zu erforschen, ist eine Motivation, die Kinder in sich tragen und die sie zum Handeln bewegt.

Kinder lernen durch Beobachtung und Nachahmung. Sie lernen durch eigene Erfahrungen, durch Ausprobieren und Fehler-Machen. Dabei entdecken sie eigene Potenziale und eigene Wirksamkeit. Auch Wiederholung ist wichtig. Indem Kinder Dinge immer wieder üben, festigen sie ihr Wissen und ihre Fähigkeiten. Das Spielen ist ein wichtiger Erfahrungsraum für Kinder. Inhalte spielerisch und aktiv zu erkunden, weckt ihren Forscherdrang und macht Spaß. Kinder lernen durch Interaktion mit anderen Kindern und Erwachsenen. Im Gespräch, in Diskussionen und durch Zusammenarbeit können sie ihr Wissen erweitern und neue Perspektiven kennenlernen. Dabei lernt jedes Kind individuell. Für einige ist das Sehen besonders einprägsam, für andere eher das Hören oder die Bewegung.

Diese Wesensmerkmale von Kindern fordern heraus. Denn um ihnen zu begegnen, braucht es Angebote, in deren Rahmen die Kinder ihrer Neugierde nachgehen und Dingen auf den Grund gehen können. In denen sie selbst zu Forscherinnen und Forschern werden. Und es braucht Leitende, die nicht vorrangig ihre eigenen Überzeugungen vermitteln, sondern die Kinder wertschätzend begleiten und ihre Fragen und Antworten ernst nehmen.

Die Methoden dieses Bandes

Die hier aufgenommenen Methoden laden Kinder ein, Bibeltexte und Geschichten selbst zu erforschen. Ein wichtiger Baustein dafür sind Methoden, die das Fragenstellen ermöglichen, wie z.B. „Interview" und „Köpfchen". Andere Methoden, wie die „Verfolgung", ermöglichen es Kindern, durch Beobachtung Informationen zu erhalten. Bei anderen Methoden, z.B. der „Eigenrecherche", geht es darum, Inhalte selbst zu recherchieren und sich Wissen anzueignen. Wieder andere Methoden kommen aus dem spielerisch-entdeckenden Bereich: So kann mit der Methode „Roter Faden" die Handlung einer Geschichte spielerisch erkundet werden. In einem bewussten Rollentausch können die Kinder eine Detektivkappe aufsetzen und einen „Tatort" untersuchen oder eine „Hausdurchsuchung" durchführen. Es sind auch Methoden aufgeführt, die einen Zugang über bildliche Elemente, deren Wahrnehmung und Interpretation ermöglichen, so z.B. die „Gucklöcher" oder die „Dunkelfolien". Einige Methoden enthalten mehrere Lernzugänge, z.B. die „Lernschachtel". So können Kinder aus unterschiedlichen Medien und Aufgabenstellungen eine für sie passende auswählen. Außerdem führt dieser Band auch Methoden auf, die Kinder ermutigen, das Wissen, das sie sich selbst erarbeitet haben, mit anderen zu teilen oder selbst Inhalte zu erstellen. „Bibel-Lern-Duett" und „Intelligenter Stift" sind hierfür zwei Beispiele.

Weitere Methoden zur Textarbeit werden an anderer Stelle der Reihe „Mach mit-Methoden" thematisiert.

Die Einsatzmöglichkeiten

Einige Methoden unterstützen das erste Erfassen eines Bibeltextes oder eines Themas. Beispiele hierfür sind der „Info-Point" und die „Textbesichtigung". Ein Großteil der Methoden lädt dazu ein, sich aktiv mit einem Bibeltext / einer Geschichte auseinanderzusetzen. Für Kinder ist es eine wichtige Erfahrung, die Fähigkeit zu haben, sich einen Inhalt selbst anzueignen. Für Leitende (besonders in altersgemischten Gruppen) sind solche Methoden zu Beginn oft arbeitsintensiver in der Vorbereitung als eine erzählende Darbietung. Kinder und Leitende müssen sich an neue Lernformen und Rollen erst gewöhnen. Es gilt, die Spannung auszuloten, einerseits den Kindern eigenständige Zugänge zu ermöglichen und sie andererseits in diesem Lernprozess auch nicht zu überfordern. Hilfreich ist es, Rahmen und Methoden gut vorzubereiten. Auch der Umgang mit (Bibel-)Texten, Arbeitsaufträgen und Medien will eingeübt und wiederholt werden. Für Kinder, die nicht gut lesen oder sehen können, eignen sich Texte in leichter Sprache, kurze Texte mit hohem Bildanteil, eingesprochene Audio-Dateien, Ausschnitte aus Hörbüchern und Hörbibeln.

Die Altersangaben

Anhand der Icons unter dem jeweiligen Methodennamen ist eine Einschätzung, für welche Altersgruppe die Methode sich eignet, leicht möglich. Die Methoden in diesem Band sind größtenteils ab acht Jahren angegeben. In diesem Alter beginnen Kinder damit, Geschichten, Bibeltexte und Sachtexte nach und nach eigenständig zu lesen und lernen in der Schule Sinn und Umgang mit Fragen und Arbeitsaufträgen. Das selbstständige Lesen und Arbeiten mit einer Vollbibel, mit Sachbüchern, Lexika und digitalen Medien gelingt Kindern meist erst später.

Die Reihe „Mach mit-Methoden"

Die „Mach mit-Methoden" befähigen Kinder, Geschichten und Texte aus der Bibel möglichst selbstständig und gemeinsam mit anderen zu entdecken. Die Reihe möchte inspirieren und ermutigen, bei der Wahl der Methoden die Kinder stärker in den Blick zu nehmen. Ihre Lust am Entdecken und Spielen, ihre Gestaltungsfreude, ihre Fragen und Antworten, ihre Möglichkeiten des Verstehens, ihre Deutungen und Gottesvorstellungen sollen im Mittelpunkt stehen.

Die Auswahl der Methoden

Bei der Auswahl der Methoden dreht sich alles um das Entdecken biblischer Geschichten und um die Vertiefung der Beschäftigung mit biblischen Texten. Die ausgewählten Methoden sind darauf ausgerichtet, dass die Kinder zwar angeleitet, aber dann selbst aktiv werden. Jeder Band der „Mach mit-Methoden"-Reihe bündelt verschiedene Methoden zu einem bestimmten Thema.

Die Kompetenzen

Eine Vermittlung, die Kindern eine aktive Rolle zugesteht, stellt andere Anforderungen an Kinder und Erwachsene. Neben dem inhaltlichen Verständnis einer Geschichte, geht es beispielsweise darum, selbst Entdecktes zu beschreiben, eigene Sichtweisen zu erklären, Inhalte zu deuten oder etwas kreativ darzustellen. Die Kompetenzen unter jeder Methode zeigen auf, welche Kompetenzen durch eine Methode erworben und entwickelt werden können. Es handelt sich um sogenannte prozessbezogene Kompetenzen, die miteinander verknüpft sind:

- **Wahrnehmen:** Die Kinder staunen über Geschichten und beschreiben, was sie im Innern bewegt. Sie nehmen religiöse Phänomene, Symbole und Erfahrungen als solche wahr und ordnen sie ein. Sie sammeln ästhetische Erfahrungen. Sie äußern Fragen nach Ursprung, Sinn und Ziel des Lebens.
- **Verstehen:** Die Kinder eignen sich Wissen und Bibelverständnis an. Sie fragen nach, beobachten, erforschen, kombinieren. Sie lernen wichtige Grundbegriffe und religiöse Symbole kennen und verstehen. Sie nutzen dabei verschiedene Medien, Materialien und Werkzeuge.
- **Sprechen:** Die Kinder tauschen sich mit anderen aus. Sie vergleichen ihre Beobachtungen und Gedanken. Sie vertreten ihre Meinung, hören aber auch anderen zu und fühlen mit. Sie wenden Mimik, Gestik und (religiöse) Sprache an.
- **Handeln:** Die Kinder gestalten, stellen dar, werden schöpferisch tätig. Sie agieren plan- und fantasievoll, wenden Techniken und Methoden an. Sie probieren christliche Praxis aus.
- **Reflektieren:** Die Kinder vergleichen, unterscheiden, deuten eine Geschichte, ordnen sie ein und bewerten sie. Sie finden selbst eine Position und beziehen die Perspektive anderer ein.

In der Arbeit können die Kompetenzen helfen, die Methoden an sich besser einzuordnen: Welche Kompetenzen ermöglicht eine Methode? Wofür eignet sie sich? Was kann sie leisten und was nicht? Das hilft bei der Auswahl einer Methode und bewahrt auch davor, eine Methode zu überfrachten.

Der Aufbau der Methoden

Symbole:

Geschätzte Zeit für die Durchführung: kurz, mittel oder lang

Altersangaben: von 6 Jahren an aufwärts

Sozialform: Einzel-, Partner- oder Gruppenarbeit

Aufwand: niedrig, mittel oder hoch

Schwarz: Die praktische Umsetzung der Methode. Die Beschreibung enthält alles benötigte Material, ggf. in Klammern einen Hinweis auf Vorlagen zum Download, die allgemeine Beschreibung der Methode mit den einzelnen Schritten und einen Praxisbezug. Wo auf Bastelvorlagen zum Download verwiesen wird, ist das benötigte Bastelmaterial im entsprechenden Download aufgelistet. In der Materialliste zur Methode selbst steht dann nur der Hinweis auf den Download und „entsprechendes Material". Wird in der Beschreibung auf andere Methoden verwiesen, ist das immer durch Anführungszeichen gekennzeichnet.

Grau: Zusätzliche Informationen. Dazu gehören die Kompetenzen, die eine Methode fördert und fordert, und der Querverweis (••) auf einige ausgewählte biblische Geschichten, die sich für diese Methode eignen.

Die Downloads und externen Links

Unter download.praxisverlag-bm.de stehen zu den Methoden zusätzliche Materialien in digitaler Form zum Download zur Verfügung. Die meisten Vorlagen können auf geeignetem Papier ausgedruckt werden. Für einen wiederholten Einsatz und eine bessere Haltbarkeit bietet es sich an, die Vorlagen vor dem Ausschneiden zu laminieren.

Der Kauf berechtigt zum Downloaden, Ausdrucken, Kopieren und Verwenden der Daten, sofern sie zur Vorbereitung und Durchführung der Inhalte dieses Buches verwendet werden. Eine Vervielfältigung, Verwendung oder Weitergabe darüber hinaus ist ohne Erlaubnis ausdrücklich nicht gestattet.

Für in diesem Titel enthaltene Links auf Websites/Webangebote Dritter übernehmen wir keine Haftung, da wir uns deren Inhalt nicht zu eigen machen, sondern sie lediglich Verweise auf den Inhalt darstellen. Die Verweise beziehen sich auf den Inhalt zum Zeitpunkt des letzten Zugriffs: 17.11.2023.

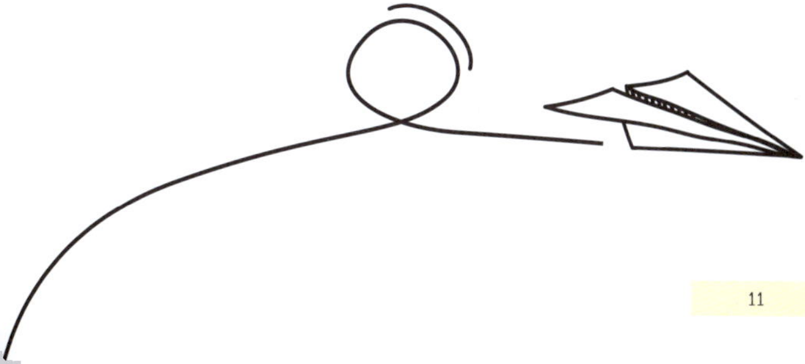

Info-Point

Sich an einem Ort selbstständig über Inhalte informieren.

Material

Präsentationsmedium; Bibellexika, Landkarten zur Bibel, Bücher zur Zeitgeschichte, Bildmaterial, evtl. Abspielgerät für Audio-Dateien/Hörbücher

Beschreibung

Die Kinder erhalten an einem Info-Point sachliche Informationen: Begriffserklärungen, Hintergrundwissen, Informationen zur Zeitgeschichte. Auf Deutungen sollte verzichtet werden. In einem ersten Schritt geht es darum, dass die Kinder den Info-Point wahrnehmen, die erste Neugierde stillen, die ausgehängten Informationen betrachten und, je nach Interesse, bereits Auszüge davon lesen. Ziel der Methode ist, dass die Kinder in den weiteren Schritten selbstständig mit biblischen Texten/Inhalten arbeiten und auf den Info-Point zugreifen können.

Praxisbezug

Für die Präsentation eignen sich Plakate, die an Pinnwand, Tisch, Säule oder Wand aufgehängt werden. Die Informationen in großer Schrift aushängen oder auslegen, Inhalt und Textlänge auf das Alter der Kinder abstimmen: Jüngeren Kindern hilft es, wenn der Schwerpunkt auf Bildmaterial liegt und die Texte nur wenige Sätze lang sind. Kinder ab der dritten Klasse können auch schon längere

Texte lesen. Barrierefreiheit, z.B. für Kinder, die schlecht sehen oder lesen können, kann durch selbst aufgenommene Audio-Dateien, Ausschnitte aus Hörbüchern u.Ä. gewährleistet werden. Dafür wird ein geeignetes Abspielgerät benötigt. – Ein Info-Point kann mit verschiedensten Aktivitäten verknüpft werden: Lösen von Arbeitsaufträgen, Aufgaben im Rahmen eines Haus- oder Geländespiels, Hintergrundwissen für eine Darbietung oder kreative Gestaltung zu einer Geschichte.

Tipp

Landkarten: Stier, Ekkehard: Bibelatlas elementar, Calwer Verlag GmbH und Deutsche Bibelgesellschaft, Stuttgart 2012; **Hörbibeln:** Herzler, Hanno / Wolfsberger, Dorothea: Hoffnung für alle. Die Hörbibel, Fontis, Kreuzlingen (CH) 2017; YouVersion APP mit integrierter Hörbibel, Life.Church, 2023; **Hörbücher:** Jeschke, Tanja: Die große Hörbibel für Kinder, Deutsche Bibelgesellschaft, Stuttgart 2012; Metzger Wolfgang / Erne, Andrea: Wieso? Weshalb? Warum?: Wir entdecken die Bibel, JUMBO Neue Medien und Verlag GmbH, Hamburg 2017

Kompetenzen

Die Kinder können durch die Informationen die ihnen fremde Kultur der Bibel besser verstehen. Sie können selbst recherchieren und sich Wissen aneignen.

•• 1. Mose 7,7-23: Die Sintflut kommt auf die Erde / 2. Mose 7,1 – 12,30: Die ägyptischen Plagen / Lukas 22,14-23: Jesus feiert mit den Aposteln das Abschiedsmahl / Apostelgeschichte 27,1-44: Paulus auf dem Weg nach Rom. Schiffbruch

Eigenrecherche

In Eigenarbeit zu einem Inhalt recherchieren.

Material
Aufträge und Informationsmaterial (z.B. Bilder und Lexikonartikel), Zugang zum Internet

Beschreibung
Die Kinder recherchieren eigenständig zu einem Thema. Sie erhalten dafür notwendiges Material wie Bilder und Lexikonartikel. Oder sie suchen im Internet nach Informationen. – Die Moderation stellt das Thema vor und teilt Aufträge und Material aus. Eine erste Aufgabe kann zunächst gemeinsam gelöst werden: Die Kinder können z.B. einen Abschnitt lesen und dessen Inhalt wiedergeben oder eine Internetseite wird über Video-Projektor eingeblendet und die Kinder suchen mithilfe einer (Kinder-)Suchmaschine nach Inhalten. So kann das Suchen und Finden von Informationen spielerisch ausprobiert werden. Die Eigenrecherche kann an verschiedenen Zeitpunkten im Programm eingesetzt werden: um einer Geschichte zu begegnen, sich mit Inhalten vertieft auseinanderzusetzen oder um weiterführende Inhalte zu recherchieren und Wissen zu festigen.

Praxisbezug
Auch QR-Codes zu Websites, Videos, Bilder, Audioaufnahmen u.Ä. können das Einbinden digitaler Medien erleichtern und Kinder motivieren, Inhalte selbst zu erfassen und zu erarbeiten.

Hinweis

Hilfen zum Umgang mit dem Internet gibt es z.B. auf der Website www.internet-abc.de. Geeignete Suchmaschinen für Kinder sind z.B. Blinde Kuh (www.blinde-kuh.de), fragFINN (www.fragfinn.de), Helles Köpfchen (www.helles-koepfchen.de) oder Wikipedia für Kinder (www.klexikon.de).

Kompetenzen

Die Kinder können mithilfe von Hinweisen Informationen suchen oder eigene Suchkriterien erstellen. Sie können verschiedene Medien wie Texte oder Lexika zur Informationsbeschaffung nutzen und kennen den Umgang mit dem Internet.

•• 1. Könige 6,1-13: Salomo baut Gott einen Tempel / Ester 1,1-8: Macht und Reichtum des Perserkönigs / Matthäus 5,43-48: Bergpredigt: Von der Feindesliebe / Lukas 18,15-17: Jesus und die Kinder

Steckbrief

Die wichtigsten Fakten über eine (biblische) Person erfassen oder selbst erarbeiten und stichwortartig aufschreiben.

Material

Bastelvorlage (s. Downloads) und entsprechendes Material; Klebestreifen, evtl. 1 Bibel pro Kind, Bibellexika für Kinder und weiteres Informationsmaterial zum Bibeltext

Beschreibung

Ein Steckbrief enthält wichtige Fakten zu einer Person: Name, Geschlecht, Familie, Geburtsort, Beruf, Aussehen, weitere Informationen. Es ist wichtig, dass die Kinder mit Form und Inhalt eines Steckbriefes vertraut gemacht werden. – Ein Steckbrief kann den Kindern vorgestellt werden oder er kann aushängen, damit sie sich allein ein Bild von einer Person machen können. Wenn er von den Kindern selbst erstellt wird, eignet sich die Methode dafür, sich vertieft mit dem Text auseinanderzusetzen. Die Kinder benötigen dann passendes Material, mit dem sie Informationen sammeln und einen leeren Steckbrief ausfüllen können. Die Ergebnisse werden anschließend in der Gruppe besprochen.

Praxisbezug

Der biblische Text bietet den Kindern oft schon gute Hinweise, die sich mit einem Bibellexikon für Kinder ergänzen lassen.

Kompetenzen

Die Kinder können sich Informationen über (biblische) Personen erarbeiten. Sie können kurze Inhalte lesen und verstehen. Die Kinder können ggf. in Eigenarbeit Informationen sammeln, notieren, sie nach vorgegebenen Kriterien ordnen und aufschreiben.

•• 1. Mose 29,1-30: Jakob kommt zu Laban und heiratet Lea und Rahel / Jesaja 6,1-13: Jesaja berichtet über seine Berufung zum Propheten / Johannes 3,1-12: Jesus und Nikodemus / Apostelgeschichte 12,25 – 13,3: Barnabas und Saulus von der Gemeinde in Antiochia ausgesandt

Adlerauge

Einen Bibeltext dem Inhalt nach klären und genau durchleuchten.

Material
1 Bibel oder 1 ausgedruckter Bibeltext pro Kind (alle in derselben Übersetzung), vorbereitete Fragen, evtl. 1 Buzzer

Beschreibung
Eignet sich für Bibeltexte, die viele Informationen enthalten. Beim Lesen des Bibeltextes sind „Adleraugen“ gefragt, die wichtige Details entdecken. – Die Moderation bereitet im Vorfeld Fragen vor, die helfen, den Inhalt des Bibeltexts zu erfassen. Jedes Kind hat den Bibeltext in derselben Übersetzung vor sich liegen. Dann geht es immer nach dem folgenden Prinzip: Eine Frage wird gestellt, dann werden einige Verse zur Frage vorgelesen, die Kinder lesen mit (jüngere Kinder hören genau zu). Sobald ein Kind eine erste passende Information liest (oder hört), ruft es „Adlerauge“ und nennt die Antwort. Je nachdem, wie weit eine Frage gefasst ist oder wie viele Informationen der Bibeltext enthält, sind mehrere Antworten möglich. Ist eine Frage hinreichend beantwortet, folgt die nächste.

Praxisbezug
Beispielfragen zu Daniel 1,1-21: Wer ist Nebukadnezzar (V. 1-3)? Welche Männer soll Aschpenas aussuchen und warum (V. 3-5)? Was erfahren wir alles über Daniel (V. 6-9)? Was für einen Versuch soll der Aufseher machen (V. 10-15)? Was zeichnet Daniel, Hananja, Mischaël und Asarja aus (V. 17-21)?

Tipp
Eine spielerische Erweiterung mit einem Buzzer setzt noch mehr auf schnelle Reaktion: Der Buzzer liegt in der Mitte, die Kinder sitzen im Abstand von ca. 2 Metern rund um den Buzzer. Die Kinder hören der Moderation zu, es wird nicht mitgelesen. Wer eine Antwort weiß, drückt blitzschnell auf den Buzzer. Sobald die Person wieder auf dem Platz ist, kann das nächste Kind in die Mitte laufen und drücken. Wer wiederholt, was schon gesagt wurde, muss bei der nächsten Frage pausieren.

Kompetenzen
Die Kinder können einen Bibeltext inhaltlich erfassen. Sie können sich zum Text äußern, einander zuhören und gemeinsam zur Deutung eines Textes beitragen.

•• Ester 6,1-13: Haman muss Mordechai die höchste Ehre erweisen / Daniel 1,1-21: Daniel und seine Freunde am babylonischen Hof / Lukas 1,5-25: Die Geburt des Täufers Johannes wird angekündigt / Apostelgeschichte 21,27-36: Paulus wird im Tempel verhaftet

Durch die Lupe

Personen oder Gegenstände auf Bildern näher betrachten, erfragen und erklären.

Material

Bastelvorlage (s. Downloads) und entsprechendes Material; Bilder, die Aspekte der Geschichte zeigen

Beschreibung

Für die Durchführung dieser Methode eignen sich Wimmelbilder, Bilder mit vielen Details oder eine Zusammenstellung mehrerer Bilder zu einer Geschichte. – Jedes Kind erhält eine Lupe. Die Kinder legen ihre Lupe auf eine Szene im Bild, die sie genauer betrachten möchten. Vielleicht haben sie eine Frage zu der Handlung, einer Person oder einem unbekannten Gegenstand. Im Gespräch die Fragen aufgreifen.

Praxisbezug

Bei der ersten Durchführung die Funktion einer Lupe erklären und wie sie bei dieser Methode übertragend angewendet wird: kleine Dinge größer und genauer betrachten, in gemalten Bildern zu (biblischen) Geschichten Details entdecken und untersuchen. – Es kann für Kinder einfacher sein, wenn Fragen auf die Griffe der Lupen geschrieben werden, z.B.: Was entdeckst du an den Personen? Gibt es einen Gegenstand, den du nicht kennst? Ist jemand auf dem Bild fröhlich? Was erzählt dir das Bild?

Variante

Kann mit älteren Kindern auch als „Text-Lupe“ eingesetzt werden, z.B. um wichtige Wörter in einem Bibeltext zu suchen. Zum Nachforschen ein Bibellexikon einsetzen.

Kompetenzen

Die Kinder können sich auf ein Bild einlassen und sich damit auseinandersetzen. Die Kinder können sich über das austauschen, was sie interessiert, fasziniert oder beeindruckt.

•• 2. Mose 16,1-21: Gott sorgt für sein Volk / Ester 2,15-18: Ester wird Königin / Lukas 15,11-32: Der Vater und seine zwei Söhne / Johannes 2,1-12: Die Hochzeit in Kana

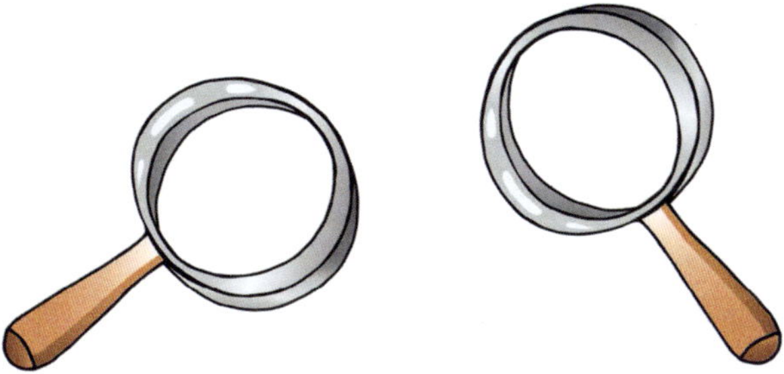

Textbesichtigung

Eine visualisierte Geschichte wahrnehmen und lesen.

Material

ausgedruckte Bibeltexte und passende Requisiten

Beschreibung

Der Bibeltext wird hier nicht nur gelesen, sondern auch an verschiedenen Orten besichtigt. Dazu den Bibeltext in sinnvolle Abschnitte gliedern, die jeweiligen Texte vergrößert ausdrucken, auslegen oder auf ein Schild kleben. Eine Frage unter jedem Bibeltextabschnitt kann zum Nachdenken einladen. Jeder Ort wird mit wenigen Gegenständen gestaltet. Für die Darstellung eignen sich die Ecken eines Raumes. – Die Kinder besichtigen in Zweierteams die ausgestellten Szenen. Sie lesen den Bibeltext und sprechen über die Frage. Oder eine Person aus dem Team begleitet die Kinder, z.B. jüngere Kinder im Erstlesealter, und liest die Texte vor.

Praxisbezug

Beispielszenen zu 1. Mose 3,1-23: Es bieten sich vier Szenenbilder an: **Verse 1-6:** Plakat eines Baumes, Korb mit Früchten, Stoffschlange. **Verse 7-13:** verschiedene Pflanzen auf einem Tisch, zwei Puppen/Figuren (männlich und weiblich), die sich dahinter verstecken. **Verse 14-19:** Stoffschlange, Wäscheleine mit Babykleidung, einfache Gartengeräte. **Verse 20-24:** Absperrband mit Schild „Betreten verboten".

Kompetenzen

Die Kinder können einen biblischen Text lesen, mit Gegenständen verbinden und darüber nachdenken. Sie können einem mehrteiligen Text folgen und sich die Inhalte selbst erschließen.

•• 1. Mose 3,1-24: Die Menschen müssen den Garten Eden verlassen / 1. Mose 18,1-15: Gott kündigt Abraham und Sara einen Sohn an / Lukas 1,57-66: Der Täufer Johannes wird geboren / Lukas 10,38-42: Jesus bei Maria und Marta

Dunkelfolien

6+

Mit einem „Licht an-Effekt" bestimmte Ausschnitte auf dunklen Bildern entdecken.

Material

Bastelvorlage (s. Downloads) und entsprechendes Material; Bilder auf Farbfolien, schwarze Klemmmappen, evtl. weiße DIN-A4-Blätter

Beschreibung

Mehrere Bilder zu einer Geschichte farbig auf DIN-A4-Folien ausdrucken. Bitte beachten: Nicht jede Folie kann für jeden Drucker verwendet werden. Die Bilder in schwarze Mappen oder Hefter mit transparenter Vorderseite klemmen. Jetzt kann man vor dem schwarzen Hintergrund das Bild nur noch schwach erkennen. – Die Kinder erhalten weiße Lichtkegel aus Papier in verschiedenen Größen. Werden diese hinter die bedruckte Folie geführt und hin und her geschoben, werden Bildausschnitte sichtbar und können von den Kindern entdeckt werden. Es kann frei experimentiert oder mit Suchaufträgen gearbeitet werden. Soll das Bild am Schluss ganz gezeigt werden, wird ein weißes Papier hinter die Folie geschoben.

Praxisbezug

Die Kinder suchen aus zwei Lichtkegeln unterschiedlicher Breite aus und erkunden allein oder zu zweit eine Mappe. Nach dem ersten Entdecken mit den Kindern sammeln, was sie alles gesehen haben. Vermutungen anstellen, worum es auf den Bildern geht.

Kompetenzen

Die Kinder können eine neue Technik anwenden, sich intensiv auf Bildausschnitte einlassen und sie sorgfältig untersuchen. Sie können von Ausschnitten auf das ganze Bild schließen und Vermutungen zum Inhalt äußern.

•• 1. Mose 27,1-29: Rebekkas List. Jakob wird anstelle seines Bruders gesegnet / 1. Mose 41,14-44: Josef deutet die Träume des Pharaos und wird sein Stellvertreter / Matthäus 2,1-12: Jesus – von den Völkern erwartet und als König begrüßt / Lukas 22,39-46: Jesus betet im Garten Getsemani

Verkehrte Welt

Suchen und korrigieren, was nicht zu einer Geschichte passt.

Material

passende Requisiten oder Bilder zur Geschichte

Beschreibung

Die Methode eignet sich für bekannte Bibeltexte und kann mit unterschiedlichem Material durchgeführt werden. **Figuren:** Eine Geschichte fertig aufstellen. Dinge dazustellen, die eigentlich nicht vorkommen. Die Kinder suchen anhand des Bibeltextes die Fehler. **Bilder:** Einzelne Bilder in einer Reihenfolge auslegen, die nicht dem Ablauf der Geschichte entspricht. Die Kinder korrigieren und bringen die Bilder in die richtige Reihenfolge. **Gegenstände:** Verschiedene Gegenstände in einem Korb zeigen. Die Kinder erraten die Geschichte und suchen heraus, was zur Geschichte gehört. Danach die Geschichte vorlesen und Gegenstände überprüfen.

Praxisbezug

Beispiel zu Lukas 2,1-20: Mit Krippenfiguren und anderem Material eine Szene aufbauen. Je nach Alter der Kinder einfache bis schwierige Fehler einbauen, z.B. Ochs und Esel im Stall (fester Bestandteil bildlicher Darstellungen, stehen aber nicht im Bibeltext), Könige (die kamen erst später), Jesus in eine Wiege statt in eine Krippe legen, Zelt für die Hirten, Nachtwächter, Watte für Schnee, Tannenbäume. Alles, was nicht passt, heraussuchen und falsche Gegenstände durch richtige ersetzen.

Kompetenzen

Die Kinder können ihr Vorwissen zu einer biblischen Geschichte einbringen. Sie können sich auf Details konzentrieren und entscheiden, was zur Geschichte gehört und was nicht. Sie können ihre Lösung überprüfen.

•• 1. Mose 9,1-17: Gottes Friedensbund mit den Menschen und Tieren / 1. Samuel 17,41-51: David besiegt Goliat / Matthäus 21,1-11: Jesus zieht in Jerusalem ein / Lukas 2,1-20: Jesus, der Retter, wird geboren

Gucklöcher

6+

Motiviert und konzentriert Bilder betrachten, den Fokus auf die kleinen Details richten.

Material
Bilder zur Geschichte (aus Kinderbibeln, Wimmelbilder oder selbstgemalte Bilder), pro Kind 1 Schablone aus Tonkarton (s. Bild)

Beschreibung
Schablonen vorbereiten, die mit Gucklöchern in verschiedenen Größen versehen sind. Unterschiedliche Bilder auslegen oder auf Kinderhöhe aufhängen. Nun können die Kinder die Bilder frei betrachten oder Suchaufträge nach Personen, bestimmten Gegenständen oder Symbolen ausführen. Die Kinder nehmen sich eine Schablone, schieben ein Guckloch über ein Bild und betrachten es. Das größere Guckloch zeigt vielleicht eine Person ganz, ein kleineres nur den Gesichtsausdruck. Während dieser Zeit achten die Kinder aufeinander, wechseln sich selbstständig ab. Meist ergeben sich freie Gespräche zwischen den Kindern: „Hast du das gesehen?", „Hast du ... schon gefunden?". Die Moderation greift anschließend die Entdeckungen der Kinder auf und bündelt sie: Gibt es Unterschiede auf den Bildern? Welches Bild zeigt für dich die (vorher gehörte) Geschichte am besten?

Praxisbezug

Eignet sich für Geschichten, zu denen es viel Bildmaterial gibt. Welcher Bildausschnitt ist für die Kinder besonders interessant, bedeutsam oder spannend?

Kompetenzen

Die Kinder können sich auf ein Bild einlassen und sich konzentriert damit auseinandersetzen. Sie können Suchaufträgen nachgehen.

•• 1. Mose 6,9-22: Gott gibt Noach den Befehl zum Bau der Arche / 1. Mose 15,1-7: Gottes Bund mit Abraham (Abram) / Lukas 1,26-38: Die Geburt des Retters Jesus wird angekündigt / Lukas 22,47-53: Jesus wird verhaftet

Roter Faden

Eine (biblische) Geschichte wird durch den Raum gespannt und auf diese Weise entdeckt.

Material
rote Kordel, passende Requisiten zur Geschichte, Bänder, Wäscheklammern, evtl. Bibel oder ausgedruckte Textabschnitte, Audio-Dateien mit den gewünschten Textabschnitten und passende QR-Codes, Smartphone

Beschreibung
Die Kordel im Vorfeld kreuz und quer durch den Raum spannen. Entlang der Kordel verschiedene Gegenstände zur Geschichte anbringen, z.B. Figuren, Bilder, Zitate, Erklärungen. – Die Kinder orientieren sich am roten Faden und gehen an diesem entlang. Sie betrachten die Gegenstände, die an der Kordel befestigt sind, und begegnen auf diese Weise der biblischen Geschichte. Im Anschluss kann die Geschichte entweder gemeinsam mit den Kindern rekonstruiert werden oder die Erzählerin / der Erzähler liest den Bibeltext vor und greift dabei die Erfahrungen der Kinder und die Gegenstände an der roten Kordel auf.

Praxisbezug
Soll auch der Text selbst mithilfe dieser Methode erschlossen werden, können zwischen den Requisiten kurze Textabschnitte aufgehängt werden. Hier je nach Alter und Lesefähigkeit der Kinder darauf

achten, dass die Texte nicht zu lang sind. Für Kinder, die nicht gut sehen oder lesen können, können auch QR-Codes verwendet werden, die zu einer Audio-Datei des Textabschnitts führen. Dann wird ein Smartphone zum Abspielen benötigt.

Kompetenzen

Die Kinder folgen der Handlung einer Geschichte. Sie können Figuren und Bilder wahrnehmen und miteinander kombinieren. Sie können ihre Ideen einbringen.

•• 1. Mose 33,1-20: Das Wiedersehen mit Esau / 4. Mose 13,1-33: Erkundung des Landes Kanaan. Bericht der Kundschafter / Lukas 2,41-52: Der zwölfjährige Jesus im Tempel / Apostelgeschichte 16,16-34: Paulus muss mit Silas ins Gefängnis. Bekehrung des Gefängniswärters

Köpfchen

Die eigene Rolle in einer (biblischen) Geschichte durch taktische Fragen herausfinden.

Material

Bibeln oder ausgedruckte Bibeltexte, Klebezettel, Stifte

Beschreibung

Die Geschichte wurde im Vorfeld erzählt oder vorgelesen. Die Methode eignet sich für Bibeltexte, in denen mehrere, auch unbekannte Personen vorkommen und miteinander agieren. – Die Kinder sitzen zu sechst oder zu acht im Kreis. Jedes Kind bekommt von der Moderation einen Klebezettel mit dem Namen einer Person aus der biblischen Geschichte auf die Stirn geklebt. Es liegen Bibeln zum Nachforschen und als Hilfestellung dafür aus, welche Fragen gestellt werden können. Nun sollen die Kinder herausfinden, welche Figur sie sind. Ein Kind beginnt und stellt eine Frage, z.B.: Bin ich eine Frau? Bin ich ein Fischer? Gehöre ich zur Familie von XY? – Die anderen Kinder antworten mit Ja oder Nein. Bei einem Ja darf das Kind eine weitere Frage stellen, bei einem Nein kommt das nächste Kind an die Reihe. Haben alle Kinder ihre Figur erraten, sagt jedes Kind etwas zu seiner Figur. Was steht über die Person im Text? Was ist die Rolle der Person in der Geschichte? Zum Schluss treffen sich alle in der Gesamtgruppe. Die Moderation geht auf mögliche Fragen zu den Personen ein.

Praxisbezug

Für ältere Kinder kann als Sonderregel gelten, dass sie nach dem Namen („Bin ich XY?") erst fragen dürfen, wenn sie sich ihrer Rolle sicher sind. Danach ist keine weitere Frage mehr erlaubt und das Kind nimmt bei fehlender Übereinstimmung den Zettel von der Stirn. Bei manchen Texten kann es hilfreich sein, Karten mit kurzen Steckbriefen zu den ausgewählten Personen auszulegen, so z.B. bei Markus 3,13-19. Es reicht ein Satz zu jeder Person. Die Kinder können daraus ihre Fragen ableiten.

Kompetenzen

Die Kinder kennen Ja/Nein-Fragen, können sie passend einsetzen und Rückschlüsse aus den Antworten ziehen. Sie können sich einbringen und einander ausreden lassen.

•• Rut 4,1-17: Durch Rut erlebt ihre Schwiegermutter neues Glück / 2. Samuel 5,1-12: David wird König über Israel / Markus 3,13-19: Jesus beruft den Kreis der Zwölf / Johannes 21,1-17: Jesus zeigt sich sieben Jüngern am See von Tiberias. Jesus und Petrus

Geheimnachricht

8+

Einen Inhalt mittels Geheimschriften und Codes für andere verschlüsseln oder entschlüsseln.

Material

Stifte, Papier, evtl. Schere, Zitronensaft, Stifte mit unsichtbarer Tinte und Schwarzlicht-Lampe

Beschreibung

Geheime Nachrichten vorbereiten oder eine Erklärung für die Kinder aufschreiben, wie Geheimnachrichten erstellt werden können, z.B.: **Geheimschriften:** Buchstabendreh, Spiegelschrift, Anstreichtext. **Geheimcodes:** Symbolschrift, Loch-Karten. **Zauberschriften:** Tinte aus Zitronensaft (wird unter Wärme sichtbar) und Geheimstifte mit unsichtbarer Tinte aus dem Handel. – Die Kinder gestalten selbst eine Geheimnachricht zu einer (biblischen) Geschichte. Oder sie lösen Rätsel und Aufträge zum besseren Verständnis eines Bibeltextes.

Praxisbezug

Die Methode eignet sich zum Entdecken vieler Bibeltexte, besonders für Inhalte, die geheimnisvoll sind, wie die Auferstehung Jesu, biblische Geschichten über Träume und ihre Deutungen, das Geheimnis vom Reich Gottes, Wundergeschichten oder solche Geschichten, in denen Kinder etwas herausfinden können.

Tipp

Ideen zum Erstellen von Geheimcodes gibt es im Internet.

Kompetenzen

Die Kinder können spielerisch mit Wörtern und Sätzen umgehen. Sie kennen Techniken, um Wörter und Nachrichten zu verschlüsseln oder entschlüsseln.

•• Richter 6,11-24: Gott beruft Gideon zum Retter Israels / Daniel 5,1 – 6,1: Die rätselhafte Schrift an der Wand / Lukas 24,1-10a: Die Frauen am leeren Grab / Offenbarung 1,9-20: Der Auftrag an Johannes

Geheimcode

A	●	B	○	C	◆	D	◈
E	⊙	F	◉	G	⬟	H	◎
I	▼	J	◇	K	△	L	⟐
M	□	N	⦿	O	✹	P	▷
Q	⧈	R	⊡	S	▣	T	★
U	◘	V	■	W	❖	X	◥
Y	●	Z	✪				

Intelligenter Stift

Audio-Inhalte mithilfe eines sprechenden Stiftes anhören oder selbst aufnehmen.

Material

intelligente Stifte (z.B. Tellimero, tiptoi®), Computer, vorbereitete Inhalte

Beschreibung

So genannte „intelligente Stifte" sind Tools, die vielfältig eingesetzt werden können. **Als Hörstift:** Die Mitarbeiterin / der Mitarbeiter nimmt mithilfe des intelligenten Stifts im Vorfeld Texte, Aufgaben, Rätsel oder Lieder auf und weist sie speziellen Stickern oder Markern zu. Das bereichert Methoden, bei denen Kinder Inhalte eigenständig entdecken und erarbeiten können (beispielsweise „Info-Point", „Eigenrecherche", „Stationenlauf"). **Als Aufnahmegerät:** Die Kinder nehmen selbst mit dem Stift Inhalte auf, z.B. Erzähltexte zu Bildern, Erklärungen zu Begriffen und Symbolen, Lösungen zu Aufgaben und Rätseln.

Praxisbezug

Es gibt viele Möglichkeiten, wo sich die mit dem Stift bespielten Aufkleber anbringen lassen, z.B.: Erklärungen in Büchern, Infos zu den Bibelbüchern in einem Bibelschrank, vorformulierte Gebete oder Segenssprüche, Erklärungen zu biblischen Orten auf einer Landkarte, Anleitungen in einer Kreativ-Ecke, an Stationen einer Kirchen-Rallye.

Variante

Mit einem Aufnahmegerät (Mikrofon, Smartphone, Headset) am Computer eigene Tonaufnahmen erstellen.

Kompetenzen

Die Kinder können eigenständig Inhalte anhören, wiederholen und verinnerlichen. Sie können ein Medium anwenden, eigene Inhalte aufnehmen und sie einem Sticker, Text oder Bild zuweisen.

•• 1. Samuel 3,1 – 4,1a: Gott spricht zum ersten Mal mit Samuel / 1. Könige 18,16-39: Elija ruft das Volk auf den Berg Karmel / Matthäus 6,5-15: Bergpredigt: Vom Beten (Das Vaterunser) / Lukas 24,13-35: Jesus begleitet zwei Jünger auf dem Weg nach Emmaus

Lernschachtel

Aus mehreren Möglichkeiten eine Beschäftigung aussuchen und sich selbstständig mit einem Bibeltext auseinandersetzen.

Material
Schachtel, Bild-, Lese- und Kreativ-Materialien, evtl. zusätzlich Tische und Stühle

Beschreibung
Eine Geschichte wird so aufbereitet, dass sie auf unterschiedliche Weise entdeckt, gelesen, erlebt und gestaltet werden kann. Dazu eignen sich Bildmaterialien, Figuren und Bauklötze zum Aufbauen und Nachspielen der Geschichte, Hörspiele, Kinderbibeln, Bibellexika, Kreativmaterial zum Malen und Gestalten der Geschichte. – Die Kinder sitzen im Kreis oder um einen Tisch herum. Die Lernschachtel wird vorgestellt und gemeinsam mit den Kindern ausgepackt. Die Kinder wählen sich reihum eine Beschäftigung. Je nach Gruppengröße das Material mehrfach kopieren. Nach der Hälfte der Zeit kann getauscht werden.

Praxisbezug
Jeden Schritt sorgfältig vorbereiten: Wie viele Kinder können mit einem Material arbeiten und wie muss der Platz eingerichtet sein? Deckt das Material unterschiedliche Lernformen ab (z.B. Lernen durch Hören, Lesen, Ausprobieren, Diskutieren, Sehen, Gestalten, Nachdenken)? Was muss an Material kopiert werden? Gibt es passendes Material für alle Altersstufen?

Tipps

Musatti, Claire / Gastaldi, Silvia: Entdecke die Welt der Bibel, Neukirchener Verlag, Neukirchen-Vluyn [4]2023; Olson, Marc / Maybank, Jemima: Die Welt in der Jesus lebte, Deutsche Bibelgesellschaft, Stuttgart 2023

Kompetenzen

Die Kinder können sich eine Geschichte selbstständig erschließen. Sie können aus unterschiedlichen Medien und Aufgabenstellungen auswählen, welche Herangehensweise für sie passt, und ihren Lernweg selbst bestimmen.

•• 1. Könige 3,2-15: Salomo darf sich etwas wünschen / Psalm 23,1-6: Der Herr ist mein Hirt / Matthäus 13,1-9.18-23: Das Gleichnis von der Aussaat / Apostelgeschichte 9,1-19a: Die Bekehrung von Saulus

Bibelforscher

Gemeinsam mit anderen Kindern neue Inhalte entdecken, vertiefen und verstehen.

Material
Bastelvorlage (s. Downloads) und entsprechendes Material; Stifte, Bibellexika, Informationen, Fragen und/oder Rätsel zum Alltagsleben in biblischer Zeit, Bildmaterial

Beschreibung
Wer über die Bibel forscht, versteht Bibeltexte und ihre Zeit vielschichtiger und weiß mehr darüber als andere Menschen. Die Kinder werden zu Bibelforscherinnen und Bibelforschern und untersuchen in kleinen Gruppen biblische Begriffe. Jede Gruppe erhält dazu einen Stift, ein Bibellexikon und einen Bibelforscherkoffer, auf dessen „Innenseite" Informationen, Fragen und Rätsel gedruckt sind. Zusätzlich kann z.B. hilfreiches Bildmaterial in den Koffer gelegt werden.

Praxisbezug
Das Material so erstellen, dass Bibeltexte und Aufgaben kurz und verständlich formuliert sind. Als Rätsel eignen sich Buchstabensalat, Silbenrätsel, Wörtersuchrätsel, Wortschlange, Wortlabyrinth, oder Lückentext.

Tipp

Jahnke, Michael (Hg.): Mein Bibellexikon, SCM R.Brockhaus, Witten, in Kooperation mit Deutsche Bibelgesellschaft, Stuttgart, und Bibellesebund Deutschland, Marienheide 2021

Kompetenzen

Die Kinder können Informationen recherchieren und das ihnen fremde Leben zu biblischer Zeit entdecken. Sie können sprachliche Bilder und Alltagsbezüge in Bibeltexten besser verstehen.

•• 1. Mose 11,1-9: Der babylonische Turm / Jona 3,1-10: Die erfolgreiche Bußpredigt / Matthäus 13,31-33: Senfkorn und Sauerteig: Der entscheidende Anfang ist gemacht / Offenbarung 21,1-5: Der neue Himmel und die neue Erde

Interview

Fragen erarbeiten und eine Befragung der (biblischen) Person(en) durchführen. Die gewonnenen Informationen protokollieren.

Material
Notizpapier, Stifte, Requisiten, Gewänder

Beschreibung
Bei dieser Methode geht es darum, herauszufinden, um wen und um was es in der heutigen Geschichte geht. Die Kinder gehen zu viert zusammen. Sie überlegen sich Fragen und schreiben diese auf. Dann werden die Protagonisten der Geschichte (verkleidete Personen aus dem Mitarbeitendenteam) aufgesucht. Die Kinder befragen die Personen und machen sich Notizen. Unter der Anleitung einer Moderatorin / eines Moderators tragen die Kinder ihre Ergebnisse zusammen. Sie/er greift das erarbeitete Wissen auf und jedes Kind hat die Möglichkeit, sich zu äußern. Am Schluss kann der Text vorgetragen oder von den Kindern selbst gelesen werden.

Praxisbezug
Wer eine der befragten Personen spielt, bereitet sich im Vorfeld gut auf die Rolle vor. Einfache Gewänder und passende Gegenstände können die Rolle unterstützen und zu weiteren Fragen animieren.

Tipp

Einige Fragen auf Kärtchen als Anregung mitbringen, z.B.: Wie heißt du? Wo wohnst du? Hast du eine Familie und wer gehört alles dazu? Hast du ein Hobby, etwas, das du gern tust?

Kompetenzen

Die Kinder können sich Fragen überlegen und diese an eine Person richten. Sie können Antworten finden, schriftlich festhalten und das erarbeitete Wissen anderen mitteilen.

•• 2. Mose 32,1-8: Der selbst gemachte Gott: Das Goldene Kalb / Rut 1,1-19: Rut lässt ihre Schwiegermutter nicht im Stich / Markus 9,2-10: Drei Jünger sehen Jesus in Herrlichkeit / Lukas 22,47-53: Jesus wird verhaftet

Hausdurchsuchung

Einen gestalteten Raum untersuchen und Vermutungen anstellen.

Material
ausgedruckter Bibeltext in mehreren Teilen, Ausdrucke mit Informationen zu den Hintergründen der Geschichte, passende Requisiten, Bibel

Beschreibung
Diese Methode eignet sich für biblische Geschichten, die sich im und ums Haus herum abspielen. Im Vorfeld mit einfachen Requisiten ein oder mehrere „Zimmer" in den Ecken eines Raumes aufbauen (z.B. Schlafzimmer, Kleiderkammer, Küche, Garten, Thronsaal, Synagoge, Obergemach, Dach). In jedem Zimmer finden die Kinder Hinweise wie Textteile oder Informationen zu Zeit, Ort und Personen der Geschichte. Das können Gegenstände sein, Papier-Schnipsel in Kleidungsstücken, Informationen in ausliegenden Schriftrollen oder in Möbelstücken. Nicht zu viel an Informationen preisgeben, damit noch Raum bleibt, um Vermutungen anzustellen und die Ergebnisse zu kombinieren. – Die Kinder gehen in Gruppen von bis zu vier Kindern zusammen. Sie untersuchen die Requisiten nach Spuren zu der Geschichte. Nach einer vorher festgelegten Zeit kommen alle zusammen und teilen ihre Eindrücke, Entdeckungen und Vermutungen: Was ist das für ein Raum? Wer wohnt hier? Welche Informationen wurden gefunden? Was könnte hier passiert sein? – Zum Schluss wird der Bibeltext am Stück vorgelesen.

Praxisbezug

Ein Laufzettel mit Fragen kann den Gruppen beim Finden der Informationen helfen. Oder es bewegt sich eine leitende Person im Raum, die von den Kindern befragt werden kann. Sie entscheidet selbst, welche Hilfen sie gibt.

Kompetenzen

Die Kinder können die Bedeutung eines Ortes erkennen und dessen Ausstattung untersuchen. Sie können Zusammenhänge herstellen und Vermutungen äußern.

•• 1. Mose 39,1-20: Josef bei Potifar. Konflikt mit dessen Frau / Rut 3,1-18: Rut wagt eine Bitte / Lukas 5,17-26: Jesus heilt einen Gelähmten / Apostelgeschichte 16,11-15: Paulus in Philippi: Die Bekehrung von Lydia

Verfolgung

8+

Einzelnen Personen eines (vor)gelesenen Bibeltextes folgen und sich Notizen machen.

Material

Bastelvorlage (s. Downloads) und entsprechendes Material; Bibel, Stifte zum Malen und Schreiben

Beschreibung

Die Kinder treffen sich in Gruppen von ca. vier Kindern. Jede Gruppe erhält einen Stift, einen „Verfolgungs-Bogen" und den Geheimauftrag zugeflüstert, welche Person sie im Bibeltext „verfolgen" und „fotografieren" sollen. – Den Bibeltext langsam (mit Pausen!) vorlesen. Die Gruppen hören zu und machen sich Notizen auf der Rückseite des Bogens. Auch nach dem Vorlesen bleibt noch etwas Zeit dafür. Zum Schluss macht jede Gruppe noch ein „Foto". Dazu zeichnen sie die von ihnen „verfolgte" Person in das Handy auf der Vorderseite des Bogens. Die Ergebnisse werden in der Gesamtgruppe vorgestellt und verglichen.

Praxisbezug

Die Moderation sollte deutlich und betont vorlesen, in den Pausen aufschauen und sich auf das Tempo der Kinder einstellen. Die Kinder sitzen auf dem Boden oder an Tischen.

Variante

Kann auch als Einzelarbeit oder als Suchauftrag beim Bibellesen durchgeführt werden: Wir „verfolgen" heute mal nur eine Person durch den Text und versuchen, alles über sie herauszufinden.

Kompetenzen

Die Kinder können ihre Aufmerksamkeit auf einen vorgelesenen Text richten, den Handlungen einer bestimmten Person folgen und diese stichwortartig notieren. Sie können sich ein Bild von einer Person machen und es skizzieren.

•• 1. Mose 13,1-18: Abraham (Abram) und Lot trennen sich / 1. Samuel 9,1 – 10,1: Der junge Saul sucht entlaufene Eselinnen / Lukas 8,40-56: Jesus heilt eine kranke Frau und erweckt ein Mädchen vom Tod / Apostelgeschichte 14,8-20: Paulus und Barnabas in Lystra

Tatort

Durch die Erkundung eines Tatortes einer (biblischen) Geschichte auf die Spur kommen.

Material
Informationen und Rätsel zum Text, Requisiten, Papier, Stifte

Beschreibung
Die Bibel ist voll spannender Kriminalfälle, z.B. Mord (Kain an Abel), Menschenhandel (Josefs Brüder), Verrat (Judas an Jesus). Die Geschichten wollen schockieren. Sie entlarven Schattenseiten, Fehlschläge und Scheitern, stellen aber auch wichtige Fragen: Wo werden Menschen schuldig? (Wie) Kann Schuld wieder gut werden? Was ist richtig, was falsch? Wie wollen wir als Menschen zusammenleben? (Wie) Reagiert Gott auf schlimme Taten? Im Vorfeld wird ein Tatort aufgebaut und mit Absperrband markiert. Informationen werden so vorbereitet, dass die Kinder den Fall eigenständig lösen können. – Die Kinder bilden Detektiv-Teams und geben sich einen Namen. **1.** Die Teams besichtigen und untersuchen den Tatort. Sie machen sich Notizen und notieren Fragen, z.B. was noch offen und zu beantworten ist. **2.** Die Detektive erhalten Hinweise in Form von Rätseln, Bildausschnitten, verschlüsselten Bibelversen usw. Am Tatort kann auch ein Zeuge auftreten, den die Kinder befragen. **3.** Die Detektiv-Teams schreiben ihre Lösung auf. Dazu gehören Personenprofil (Wer ist die Täterin / der Täter?), Tat-Hergang (Was ist genau passiert?), Hintergründe (Was führte zur Tat? Gab es ein

Motiv?), Konsequenzen (für Täterin/Täter und/oder andere Beteiligte). Zum Schluss präsentieren die Detektiv-Teams ihre Lösung der Gesamtgruppe.

Praxisbezug

Wer in einem Team arbeitet, kann die Vorbereitungen aufteilen. Das ist sinnvoll, da die Methode recht aufwändig ist.

Variante

Für jüngere Kinder als „Tatort-Erzählung" durchführen. Die Geschichte wird anhand der Spuren erzählt. Die Kinder durch kleinere Ermittlungsaufträge einbeziehen.

Kompetenzen

Die Kinder können mit dem ausgelegten Material agieren, es untersuchen und beurteilen. Sie können fehlende Informationen erkennen, Rätsel lösen, sich Informationen durch Lesen erschließen. Sie können als Gruppe eine Lösung finden und diese präsentieren.

•• 1. Mose 4,1-16: Der Bruder erhebt sich gegen den Bruder / 1. Mose 37,12-36: Die Brüder verkaufen Josef nach Ägypten / Matthäus 26,17-19: Judas wird zum Verräter / Markus 12,1-12: Das Gleichnis von den bösen Weinbergspächtern

Heißer Stuhl

In die Mitte gehen und sich zeigen, aktiv eigene Gedanken und Meinungen einbringen.

Material
1 Stuhl, Karteikärtchen, Stifte

Beschreibung
Eine Person aus der biblischen Geschichte wird auf den „Heißen Stuhl" gesetzt. Dazu wird ihr Name auf ein Karteikärtchen geschrieben und auf den Stuhl gelegt. Dann dürfen die Kinder der betreffenden Person reihum Fragen stellen. Wer die Frage beantworten möchte, setzt sich auf den Stuhl, nimmt das Namenskärtchen in die Hand und gibt stellvertretend für die Person eine Antwort.

Praxisbezug
Die Methode setzt voraus, dass ein Bibeltext, der Informationen zu Personen, ihrem Charakter oder ihren Handlungen enthält, bereits gehört oder selbst erforscht wurde. Jüngeren Kindern fällt es möglicherweise schwer, sich in die biblische Person hineinzuversetzen. Es kann helfen, wenn eine Mitarbeiterin / ein Mitarbeiter (zumindest für die ersten Fragen) diese Rolle übernimmt und die Kinder diese Person dann befragen dürfen.

Varianten

1. Eine erwachsene Person auf den „Heißen Stuhl" setzen. Die Kinder dürfen sie zu einem Thema mit Fragen löchern. **2.** Ein Kind äußert seine Meinung zu einem Thema oder schildert ein Problem und die Gruppe gibt Rückmeldung und macht Lösungsvorschläge. **3.** Mit älteren Kindern den „Heißen Stuhl" als Rollenspiel nutzen, um kontroverse Themen zu diskutieren: Eine Person sitzt auf dem „Heißen Stuhl" und verteidigt eine selbstgewählte oder vorgegebene Ansicht gegen Anfragen und Meinungen der Gruppe.

Kompetenzen

Die Kinder können erfahren, dass Fragen ein bedeutendes Instrument sind, um Dingen auf den Grund zu gehen und mit anderen zu diskutieren. Sie können sich in einzelne (biblische) Personen hineinversetzen, ihre oder eine fremde Sicht verstehen und einbringen.

•• 1. Samuel 13,1-14: Saul handelt voreilig / 2. Samuel 11,1-27: Davids Ehebruch mit Batseba / Lukas 14,15-24: Das Gleichnis vom großen Festessen / Lukas 22,54-62: Petrus verleugnet Jesus

Themen-Puzzle

Ein Thema erarbeiten und die Erkenntnisse mit der Gruppe teilen.

Material

Bastelvorlage (s. Downloads) und entsprechendes Material; 1 (abwischbarer Folien-)Stift und 1 Arbeitsauftrag pro Kind, aufbereitete Informationen zum Bibeltext

Beschreibung

In der Vorbereitung werden Hintergrundinformationen zu einem Bibeltext/Thema in verschiedene Teil-Themen aufgeteilt. Zu jedem Teil-Thema werden Informationen zusammengestellt und Arbeitsaufträge formuliert. – Die Kinder in Vierergruppen aufteilen, Stifte, Arbeitsaufträge und Puzzleteile austeilen. Die Gruppen teilen sich die Arbeitsaufträge intern auf. Es gibt drei Phasen: **1.** Jedes Kind beschäftigt sich allein mit seinem Auftrag und macht auf dem Puzzleteil Notizen. **2.** Die Gruppen mischen sich. Es treffen sich alle Kinder mit demselben Auftrag (Puzzleteil in derselben Farbe). Sie gleichen ihre Erkenntnisse ab. **3.** Zum Schluss treffen sich die ursprünglichen Gruppen wieder und alle stellen einander ihre Ergebnisse vor. – Die Moderation begleitet die Gruppen im Hintergrund und hilft bei Fragen.

Praxisbezug

Ist die Zahl der Kinder nicht durch vier teilbar, einzelne Gruppen ergänzen und Aufträge doppelt verteilen. Dafür zusätzliche leere

Puzzleteile bereithalten. Bei einer altersgemischten Gruppe kann die erste Frage auf dem Arbeitsauftrag allen gelten. Für ältere Kinder bietet ein zweiter Auftrag zusätzliche Informationen.

Kompetenzen

Die Kinder können sich einen Inhalt erarbeiten. Sie können ihre Kenntnisse einbringen, mit anderen vergleichen und festigen.

•• 2. Mose 12,31-42: Der Auszug des Volkes Israel aus Ägypten / Jona 1,1-16: Der Prophet flieht vor seinem Auftrag / Lukas 4,1-13: Jesus wird auf die Probe gestellt / Lukas 23,1-25: Jesus vor Pilatus und Herodes Antipas

Schreibstube

8+

Die Schreibstube bietet Aufgaben und Rätsel, um Autoren und ihre Texte zu entdecken.

Material

Tische, Stühle, Regal mit Bibeln und Lexika, Schreibmaterial (Federn, Tintenfass, Pergamentpapier), Tontafeln (ausgewellte Knetmasse in Kartondeckeln, Eis-Stiele als Spatel), Tafeln mit Kreide; ausgedruckte Bibeltexte, Scheren, Buchstabenschlüssel Griechisch – Deutsch / Hebräisch – Deutsch, Papier, Stifte, Landkarten zur jeweiligen Region; Aufgabenbeschreibungen

Beschreibung

Im Vorfeld mit einfachen Requisiten eine Schreibstube aufbauen, passend zum Text drei bis vier Aufgaben vorbereiten. Mögliche Aufgaben: **Quellenarbeit:** Alte Schriftstücke müssen zusammengesetzt und mit Originalen verglichen werden. Dazu zwei bis drei Verse des Bibeltextes in ein Dokument einfügen, vergrößern und doppelt ausdrucken. Einzelne Wörter aus jedem der Verse ausschneiden und in Silben trennen. Die Kinder haben die Aufgabe, Silben zu Wörtern zusammenzusetzen und zu überlegen, in welchem Vers sie wohl vorkommen. **Übersetzung:** Einzelne Wörter aus dem Griechischen oder Hebräischen ins Deutsche übersetzen. Hier kann die Word-Funktion „Symbol einfügen" genutzt werden. Ein Buchstabenschlüssel hilft beim Übersetzen. **Abschreibeübung:** Einzelne Verse mit einem Spatel auf Ton (AT) oder mit einer Feder auf Pergamentpapier schreiben (NT). **Umwelt:** Auf Landkarten Orte suchen, in einem Lexikon Begriffe nachschlagen oder Skizzen anfertigen. – Die Kinder gehen in Gruppen von bis zu vier Kindern zusammen. Sie untersuchen die Schreibstube. Nach einer Zeit kommen alle zusammen und teilen ihre Eindrücke: Was ist das für ein Raum? Welche Informationen wurden gefunden? Wer hat was aufgeschrieben? Zum Schluss wird der Bibeltext vorgelesen.

Praxisbezug

Für Kinder ist es reizvoll, mit besonderem Schreibmaterial zu arbeiten. Die Aufgaben an das Alter der Kinder anpassen, vor allem bei Aufgaben zum Übersetzen/Abschreiben verschiedene Schwierigkeitsstufen bereithalten.

Kompetenzen

Die Kinder können sich in einer vorbereiteten Umgebung zurechtfinden. Sie können sich mithilfe verschiedener Rätsel und Aufgaben informieren, ausprobieren und über ihre Entdeckungen ins Gespräch kommen.

•• 2. Mose 20,1-17: Die Zehn Gebote Gottes für sein Volk / Psalm 139,1-18: Mein Schöpfer kennt mich durch und durch / Apostelgeschichte 8,26-40: Philippus und der Eunuch aus Äthiopien / Epheser 6,10-17: Die Waffen Gottes

Bibel-Lern-Duett

Texte selbst lesen und erarbeiten und anschließend einander das Gelernte weitergeben.

Material

1 aufbereiteter Bibeltext pro Kind, Stifte, evtl. Bibellexika, Bibeln

Beschreibung

Den Bibeltext am PC mit einem Textprogramm aufbereiten. Dazu den Text in zwei Teile teilen und je zwei bis drei Aufgaben/Fragen zum Text entwickeln. Schriftgröße, Textumfang und Aufgabenstellungen an das Alter und die Lesefähigkeit der Kinder anpassen. – Jedes Kind erhält einen Textabschnitt. Die Zuordnung erfolgt zufällig. Die Kinder bearbeiten jedes für sich den Bibeltext. Sie lesen ihn durch und lösen die Aufgaben in ihrem eigenen Tempo. Wer fertig ist, geht in die Mitte des Raumes. Je zwei Kinder, von denen eines den ersten und das andere den zweiten Textabschnitt bearbeitet hat, gehen zusammen. Sie erzählen einander, wovon ihr Text handelt, und geben weiter, was sie dazu herausgefunden haben.

Praxisbezug

Es sollte ein Vertiefungsangebot für diejenigen Kinder geben, die früh fertig sind, z.B. mit weiteren Informationen zur Lebenswelt des Textes oder verschiedenen Bibelübersetzungen, die verglichen werden können.

Tipp

Weth, Irmgard: Die Bibel. Einfach lesen. Gottes Weg mit den Menschen, Neukirchener Kalenderverlag, Neukirchen-Vluyn 2018.

Kompetenzen

Die Kinder können einen Bibeltext sinnverstehend lesen, mithilfe von Aufgaben Inhalte klären und Antworten finden. Sie können ihre Erkenntnisse weitergeben.

•• 2. Mose 2,1-10: Israels künftiger Retter wird aus dem Wasser gerettet / Josua 1,1-9: Gott gibt den Befehl zum Einzug in das Land / Markus 8,27-30: Petrus spricht aus, wer Jesus ist / Lukas 15,1-7: Das verlorene Schaf

Johannes 21,1-10

Jesus zeigt sich sieben Jüngern am See von Tiberias
1 Später zeigte sich Jesus seinen Jüngern noch einmal am See
von Tiberias. Das geschah so: 2 Einige von ihnen waren dort am
See beisammen – Simon Petrus, Thomas, der auch Zwilling
genannt wurde, Natanaël aus Kana in Galiläa, die Söhne von Ze-
bedäus und zwei andere Jünger. 3 Simon Petrus sagte zu den an-
deren: „Ich gehe fischen!" „Wir kommen mit", sagten sie. Gemein-
sam gingen sie zum See und stiegen ins Boot; aber während der
ganzen Nacht fingen sie nichts. 4 Es wurde schon Morgen, da
stand Jesus am Ufer. Die Jünger wussten aber nicht, dass es
Jesus war. 5 Er redete sie an: „Kinder, habt ihr nicht ein paar
Fische?" „Nein, keinen einzigen!", antworteten sie. 6 Er sagte zu
ihnen: „Werft euer Netz an der rechten Bootsseite aus! Dort
werdet ihr welche finden." Sie warfen das Netz aus und fingen so
viele Fische, dass sie das Netz nicht ins Boot ziehen konnten. 7
Der Jünger, den Jesus besonders lieb hatte, sagte zu Petrus: „Es
ist der Herr!" Als Simon Petrus das hörte, warf er sich das
Obergewand über, band es hoch und sprang ins Wasser. Er hatte
es nämlich zum Arbeiten abgelegt. 8 Die anderen Jünger ruderten
das Boot an Land – es waren noch etwa hundert Meter – und
zogen das Netz mit den Fischen hinter sich her. 9 Als sie an Land
gingen, sahen sie ein Holzkohlenfeuer mit Fischen darauf, auch
Brot lag dabei. 10 Jesus sagte zu ihnen: „Bringt ein paar von den
Fischen, die ihr gerade gefangen habt!"

Fragen:

Was passiert in der Geschichte?

Welche Person möchtest du im Bibeltext sein?

Welcher Vers aus dem Bibeltext ist dir am wichtigsten?

Johannes 21,10-17

Jesus und Petrus
10 Jesus sagte zu ihnen: „Bringt ein paar von den Fischen, die ihr
gerade gefangen habt!" 11 Simon Petrus ging zum Boot und zog
das Netz an Land. Es war voll von großen Fischen, genau hun-
dertdreiundfünfzig. Aber das Netz riss nicht, obwohl es so viele
waren. 12 Jesus sagte zu ihnen: „Kommt her und esst!" Keiner
von den Jüngern wagte zu fragen: „Wer bist du?" Sie wussten,
dass es der Herr war. 13 Jesus trat zu ihnen, nahm das Brot und
verteilte es unter sie, ebenso die Fische. 14 Dies war das dritte
Mal, dass sich Jesus seinen Jüngern zeigte, seit er vom Tod
auferstanden war. 15 Nachdem sie gegessen hatten, sagte Jesus
zu Simon Petrus: „Simon, Sohn von Johannes, liebst du mich
mehr, als die hier mich lieben?" Petrus antwortete: „Ja, Herr, du
weißt, dass ich dich liebe." Jesus sagte zu ihm: „Sorge für meine
Lämmer!" 16 Ein zweites Mal sagte Jesus zu ihm: „Simon, Sohn
von Johannes, liebst du mich?" „Ja, Herr, du weißt, dass ich dich
liebe", antwortete er. Jesus sagte zu ihm: „Leite meine Schafe!"
17 Ein drittes Mal fragte Jesus: „Simon, Sohn von Johannes,
liebst du mich?" Petrus wurde traurig, weil er ihn ein drittes Mal
fragte: „Liebst du mich?" Er sagte zu ihm: „Herr, du weißt alles,
du weißt auch, dass ich dich liebe." Jesus sagte zu ihm: „Sorge
für meine Schafe!"

Fragen:

Was passiert in der Geschichte?

Wie findest du, was Jesus im Bibeltext zu Petrus sagt?

Welcher Vers aus dem Bibeltext ist dir am wichtigsten?

Stationenlauf

An verschiedenen Stationen selbstständig und ganzheitlich einen biblischen Text entdecken.

Material

1 Laufpass (s. Downloads) und 1 Stift pro Kind; Material für Stationen (Tische, Bibeln/Bibelverse, Informationstexte, Bilder, Lexika, Bastelmaterial, evtl. Hörbibel und Abspielgerät)

Beschreibung

Ein biblischer Text wird so aufbereitet, dass er an verschiedenen Stationen entdeckt, erlebt und erarbeitet werden kann. Dazu eignen sich Bilder, Fragen, Rätsel, Lückentexte, Spiele und kreative Umsetzungen. Die Stationen können nummeriert oder in beliebiger Reihenfolge durchlaufen werden. Eine beliebige Reihenfolge hat den Vorteil, dass die Kinder sich im Raum verteilen. Sollen die Stationen aufeinander aufbauen und müssen sie daher von allen Kindern gleichzeitig besucht werden, können sie mehrfach aufgebaut werden. Weil die einzelnen Kinder oder Gruppen ein individuelles Tempo haben werden, kann es sinnvoll sein, diejenigen Stationen zu kennzeichnen, die alle möglichst zuerst durchführen sollen. – Die Stationen vorstellen. Jedes Kind erhält einen Laufpass, auf dem es seine Ergebnisse eintragen kann. Dann entdecken die Kinder nach und nach die Stationen allein, in Partnerarbeit oder in Gruppen von bis zu vier Kindern. Danach treffen sich die Kinder in der Gesamtgruppe und stellen ihre Ergebnisse vor. Die Leiterin / der Leiter hilft bei Fragen und gibt Impulse, falls Kinder nicht weiterkommen.

Praxisbezug

Für die Vorbereitung ist es hilfreich, die Geschichte unter verschiedenen Aspekten zu betrachten, z.B. Was ist die Handlung und wie könnte sie entdeckt werden? Gibt es spannende Hintergründe zu Personen / ihrem Beruf / der Zeitgeschichte? Kann etwas als Spiel, Kreativarbeit oder Rätsel umgesetzt werden? Spielen besondere Sinneseindrücke eine Rolle, die an einer Station erlebbar gemacht werden können (z.B. der Duft von Salböl, Schlafen auf hartem Boden, plötzliches Licht in der Finsternis)?

Kompetenzen

Die Kinder können sich einen Text oder ein Thema selbst erschließen. Sie können verschiedene Aufgaben lösen und dabei ihren Lernweg bestimmen.

•• 1. Mose 1,1-28: Die Erschaffung der Welt / Daniel 6,11-29: Gott schützt Daniel in der Löwengrube / Lukas 19,1-10: Jesus und Zachäus / Apostelgeschichte 2,1-13: An Pfingsten kommt der Heilige Geist

Marktplatz

In Kleingruppen ein Thema oder einen Inhalt erarbeiten, ausstellen und „verkaufen".

Material

pro Gruppe 1 Pinnwand oder 1 Flipchart und 1 Tisch (alternativ 1 Stuhl), Flipchart-Papier; Moderationsmaterial, z.B. Karten in verschiedenen Größen, Stifte, Pinn-Nadeln; evtl. weiteres Bastelmaterial

Beschreibung

Die Kinder in Gruppen von bis zu vier Kindern aufteilen. Jede Gruppe erhält ein Thema oder sucht sich eines aus. Es eignen sich Themen, die mit dem Leben verknüpft und für die Kinder interessant sind (guter Umgang miteinander), spannende Hintergründe beinhalten (Orte, Kultur, Alltagsleben von Menschen der Bibel) und sich in einer vorgegebenen Zeit umsetzen lassen. Dabei kann auf das Vorwissen der Kinder aufgebaut oder mit Texten gearbeitet werden, die die Kinder unter Anleitung bearbeiten und als Plakate gestalten. Je nach Thema können auch plastische Arbeiten und Modelle hergestellt und ausgestellt werden. – Die Methode erfolgt in zwei Phasen: **1.** Die Kinder gestalten ihren Marktstand. Sie verarbeiten die Informationen und stellen sie unter Anleitung auf einem Plakat dar. **2.** Zwei Kinder bleiben am Stand und erklären anderen Kindern, die den Marktstand besuchen, die Inhalte. Dann wird gewechselt. Auf diese Weise nimmt jedes Kind einmal die Rolle des Besuchers und einmal die Rolle des Standbesitzers ein.

Praxisbezug

Das Moderationsmaterial gut einführen, z.B. größere Kärtchen für Themen oder Überschriften, kleinere für Informationen. Für eigene Skizzen von Kindern weißes Papier oder kopiertes Bildmaterial auslegen, das mithilfe der Kärtchen beschriftet wird.

Kompetenzen

Die Kinder können Informationen nutzen und visualisieren. Sie können angeeignetes Wissen an andere weitergeben und von anderen lernen.

•• 1. Mose 2,4b-25: Der Mensch im Garten Eden (Das Paradies) / 2. Mose 4,27 – 5,19: Mose und Aaron gehen zum Pharao. Die Not wird größer / Lukas 10,25-37: Das wichtigste Gebot. Das Beispiel des barmherzigen Samariters / Apostelgeschichte 19,23-40: Gefährliche Unruhen in Ephesus

Autorin und Illustratorin

Sara Schmidt, Jahrgang 1974, Erzieherin mit theologischer Ausbildung, ist seit über zwanzig Jahren im gemeindepädagogischen Bereich mit Kindern tätig. Sie ist als Autorin und Referentin mit Schwerpunkt Kindergottesdienst und Bibeldidaktik beim Bibellesebund Schweiz angestellt. Außerdem engagiert sie sich im Herausgeberkreis der Zeitschrift „SevenEleven", als „Godly-Play"-Fortbildnerin und im Organisationsteam der schweizer Konferenz „Kinder im Fokus". Sie ist Mutter einer erwachsenen Tochter und lebt im Berner Oberland. Ehrenamtlich bringt sie sich in der Gemeindeleitung ihrer Freikirche ein und feiert regelmäßig mit Kindern Gottesdienst.

Bianca Stegmaier, Jahrgang 1973, lebt mit ihrem Mann und ihren beiden Kindern in Baden-Württemberg. Sie arbeitet seit 2011 als freie Illustratorin für den Bibellesebund Schweiz und erachtet es als Privileg, Kindern die Bibel durch fröhliche Zeichnungen näherbringen zu dürfen.